STATE HISTORICAL MUSEUM
INARTIS PROJECT

THE COLLECTIVE UNCONSCIOUS

GRAPHIC WORKS OF SURREALISM
FROM DE CHIRICO TO MAGRITTE

Moscow • 2011

Cюрреализм возник во Франции в начале 20-го века как литературное течение, логическое развитие дадаизма. Сам термин «сюрреализм» – «сверх-реализм» был придуман поэтом Гийомом Аполлинером, который в 1917 году определил свою пьесу «Груди Тиресия» (Les mamelles de Tirésias) как «сюрреалистическую драму». Под этим словом он понимал отображение чего-то большего, чем обыденная действительность. Смыслом сюрреализма он считал художественное переосмысление глубинных символов, скрытых глубоко в сознании человека.

Такое восприятие мира оказалось очень близким европейскому самосознанию той переломной эпохи. Новый век принес с собой грандиозные изменения, отразившиеся во всех сферах существования человека. Первая мировая война, революция в России, фантастическое ускорение научного прогресса, новые психологические теории и школы – все это не могло не найти своего преломления в искусстве и культуре. И самым ярким воплощением этих тенденций явился новый, ни на что не похожий стиль – сюрреализм.

На возникновение сюрреализма повлияла философия интуитивизма Анри Бергсона и теория психоанализа Зигмунда Фрейда. Сюрреалисты признавали сон состоянием, наиболее благоприятным для художественного творчества, ввиду полного отсутствия в нем контроля со стороны разума. Фрейд утверждал, что образы, мысли, затаенные желания и воспоминания проникают в сновидения из подсознания человека, куда они были вытеснены его сознанием и где постоянно находятся в виде бессознательных комплексов. Такой «мир сновидений», лишенный логики и смысла, причудливо искажающий отдельные случайные элементы действительности, сюрреалисты и сделали предметом своего искусства. Основателем сюрреализма как оформленного культурного направления стал французский поэт и писатель Андре Бретон.

Кроме Бретона, основателями сюрреализма в литературе и поэзии стали дадаисты Поль Элюар и Луи Арагон. Но в скором времени это сугубо литературное течение проникает и в другие сферы искусства, такие как живопись и кинематограф. Широко известна история о том, как

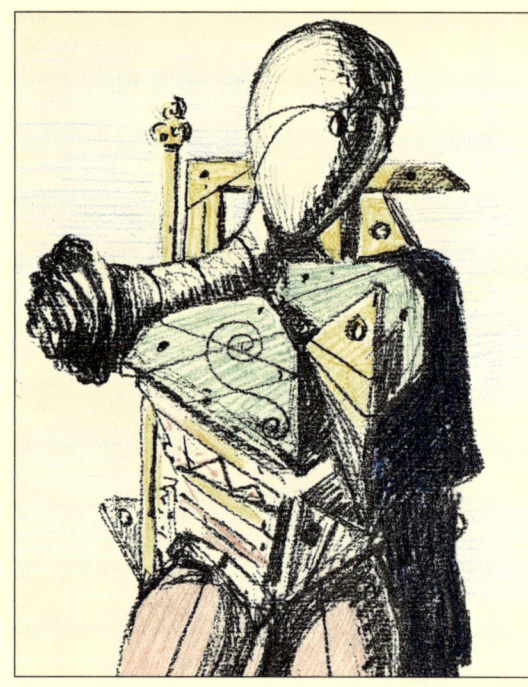

во время автобусной поездки по Парижу Бретон случайно заметил картину, выставленную в витрине галереи. Это было полотно «Мозг ребенка» известного художника-метафизика Джорджо де Кирико. Необычность образов так поразила Бре-

тона, что на следующей остановке он вышел, чтобы вернуться к картине и проверить, не было ли обманчивым его первое впечатление. Де Кирико стал тем художником, в работах которого впервые визуализировались образы, характерные для философии и эстетики сюрреализма. Джорджо де Кирико также оказал серьезное влияние на творчество Сальвадора Дали, который считал де Кирико одним из величайших художников в истории искусства. Картина «Мозг ребенка» была впоследствии куплена Бретоном, который ценил ее как одно из своих самых драгоценных приобретений.

В 1924 году Бретон публикует «Первый манифест сюрреализма», и с этого момента в мировой культуре уже официально оформляется удивительное, абсолютно оригинальное явление, оказавшее сильнейшее влияние на развитие искусства 20-го века.

Первая выставка сюрреалистов состоялась в 1925 году в Париже; в ней участвовали такие непохожие друг на друга художники как Джорджо де Кирико, Пауль Клее, Макс Эрнст, Хуан Миро,

Пабло Пикассо. По мнению Бретона, новое искусство должно было выражать потаенные желания и потребности всех людей; для постижения этого искусства достаточно было восприимчивости и детской непосредственности.

Но подлинный расцвет сюрреализма произошел в конце 20-х годов прошлого столетия, когда к этой художественной группе присоединился Сальвадор Дали, ставший общепризнанным лидером этого направления. В 1929 году он официально вступает в объединение Бретона и в том же году вместе с Луисом Бунюэлем участвует в съемках знаменитого сюрреалистического фильма «Андалузский пёс». В период с 1929 по 1934 год немецкий сюрреалист Макс Эрнст создал серию «викторианских коллажей», которые принесли ему по-настоящему широкую известность. В 1934 году были изданы его гравюры из новеллы «Неделя доброты» (Une semaine de bonte), ставшая одним из наиболее заметных культурных явлений того времени. Эти гравюры, сюжеты которых были разработаны Эрнстом совместно с Полем Элюаром, завоевали сюрреалистам большое количество новых поклонников.

Но именно с приходом Дали сюрреализм превращается в нечто большее, чем просто модный стиль. Это направление становится наиболее актуальным течением в европейском, а затем и в американском искусстве. Сюрреализм очаровы-

вает чилийского архитектора Роберто Матту, приехавшего в Париж работать у знаменитого Ле Корбюзье. В его архитектурном бюро Матта проработал около двух лет. В это время художник познакомился с Пабло Нерудой и Федерико Гарсиа Лоркой, которые в свою очередь представили его Сальвадору Дали и Андре Бретону. Бретон, на которого рисунки Матты произвели большое впе-

чатление, пригласил его присоединиться к бурно развивающемуся движению сюрреалистов.

Но к этому времени содружество Бретона уже претерпевает первые потрясения. В 1936 году, после прихода к власти каудильо Франко, Дали ссорится с сюрреалистами, стоящими на левых позициях, и его исключают из группы. В ответ Дали делает громкое, но вполне оправданное заявление: «Сюрреализм — это я». В этом же году он создает такие шедевры как «Предчувствие гражданской войны», «Осенний каннибализм» и «Венера с ящиками».

Начало Второй мировой войны стало серьезным испытанием для всего мира, и, конечно, это не могло не сказаться на союзе сюрреалистов. Макс Эрнст был арестован как подданный страны-противника, но с помощью известной покровительницы искусства Пегги Гуггенхайм в 1941 перебрался в США, где вскоре женился на своей спасительнице. Но их браку не суждено было быть долгим: в 1946 году Эрнст расторг брак с Пегги Гуггенхайм и женился на художнице Доротее Таннинг, которая была одной из самых

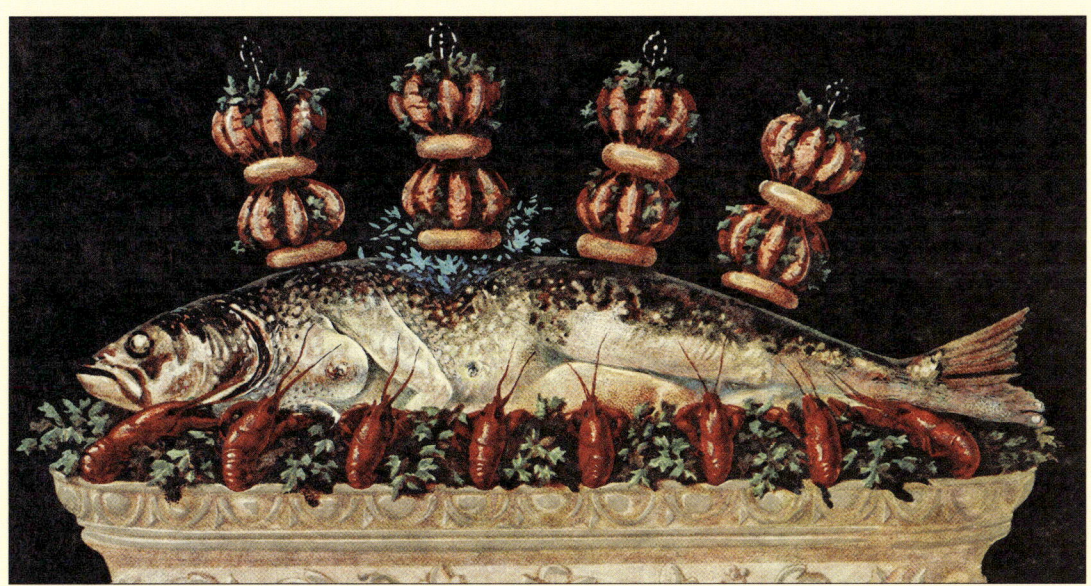

известных мастеров американского сюрреализма. Таннинг стала последней представи-
тельницей той золотой плеяды сюрреалистов,
которая вела свою историю непосредственно с
кружка Андре Бретона.

Дали также перебрался в Америку, где его ждал
грандиозный успех. Он прожил в Новом Свете
до начала пятидесятых годов, но и после воз-
вращения в Испанию продолжал часто посе-
щать Соединенные Штаты.

При этом сюрреализм был и оставался преиму-
щественно европейским явлением, отражавшим
те идеи, тревоги и переживания, которые были
свойственны обитателям Старого Света. И одним

из наиболее ярких представителей европейского сюрреализма является бельгиец Рене Магритт. Начав свою карьеру в качестве дизайнера рекламных имиджей, Магритт разработал индивидуальный стиль, который гармонично сочетался с визуальной составляющей сюрреализма, но был основан не на психологии, а на философии. Его поэтический сюрреализм не заставляет предметы терять свою «предметность»: они не растекаются, не превращаются в собственные тени.

Магритт использовал простые и четкие образы, которые сочетались самым причудливым образом, вызывая у зрителей удивление и заставляя их задуматься об обманчивости видимого, о его скрытой таинственности, которую мы обычно не замечаем. Известен цикл работ художника, в которых присутствует эффект отрицания того, что, казалось бы, абсолютно очевидно. Особенную популярность получила работа, изображающая курительную трубку с подписью «Это не трубка». Таким образом Магритт снова напоминает зрителю о том, что образ предмета – не сам предмет.

До своей смерти в 1967 году Магритт создал всего 20 графических работ, которые официально считаются авторскими. Большая часть этих гравюр впервые в России представлена проектом InArtis в рамках данной экспозиции.

С конца 60-х годов главным наследником эстетики сюрреализма является швейцарский художник Ханс Руди Гигер. Его стиль часто характеризуется как «биомеханический», объединяющий естественную жизнь с искусственной. Мрачная декоративность образов Гигера сделала его одним из наиболее востребованных художников в области массовой культуры. На его счету множество обложек для музыкальных альбомов таких групп как Emerson, Lake & Palmer, Celtic Frost, Danzig и Дебраы Харри, бывшей вокалистки группы Blondie. Некоторые из них были включены журналом «Роллинг Стоун» в список ста выдающихся обложек века.

Однако настоящая известность пришла к нему в 1977 с выходом третьей книги «Некрономикон». Этот сборник авторских шелкографий привлек внимание американского режиссера Ридли

Скотта. Он предложил Гигеру поработать над оформлением своего фильма «Чужой», для которого художник разработал запоминающийся образ чудовища-ксеноморфа. Этот фильм принес Гигеру премию Оскар в 1980 в номинации «Лучшие визуальные эффекты». Рисунки его «монстра» послужили эскизами и для последующих 3 фильмов, и для дилогии «Чужой против Хищника», хотя в этих фильмах образ и сама сущность пришельца с кислотной кровью была кардинально изменена.

Сюрреализм стал одним из мощнейших культурных течений прошлого века, оказавшим огромное влияние на развитие современного искусства. Он вобрал в себя странную и во многом тревожную энергетику двадцатого столетия, необычного времени, ознаменованного двумя мировыми войнами, Великой депрессией, удивительными научными открытиями и многими другими событиями, перевернувшими представление человека о самом себе и окружающем мире. На этой выставке мы хотим проследить развитие сюрреализма через графические работы виднейших мастеров этого направления, от де Кирико, предтечи этого стиля, до Магритта, Доротеи Таннинг и Ханса Руди Гигера. Эта ретроспектива даст возможность ознакомиться с судьбой зерен нового искусства, которые попали в плодородную почву нарочитого дадаисткого абсурда и выросли в уникальное явление, ставшее одним из характернейших символов прошедшего столетия.

Surrealism originated in France in the early 20th century as a literary movement developing out of Dadaism. The term itself – Surrealism, "Over-realism" – was coined by Guillaume Apollinaire, who wrote the play "Les mamelles de Tirésias" (The Breasts of Tirésias) in 1917, and described it as a "Surrealist drama". According to him, Surrealism was a reflection of something larger than everyday life. He understood Surrealism as an artistic interpretation of innermost symbols hidden in the depths of the human consciousness.

This sort of thinking was very much in tune with the ideas that influenced Europe at that critical period, an age that brought colossal changes which had a gigantic impact on all aspects of human existence. The First World War, the Bolshevik revolution in Russia, the unbelievable acceleration of scientific progress, new theories and schools in psychology – all this could not but have left a mark on art and culture. The new, completely original style of Surrealism was the most remarkable reflection of these transformations.

The trends that brought about the birth of Surrealism included Henri Bergson's philosophical method of intuition and Sigmund Freud's theory of psychoanalysis. The Surrealists believed that dreaming was the state most conducive for creativity, because in dream the mind loosens its controlling grip. Freud argued that consciousness pushes images, thoughts, repressed desires and memories into the unconscious, where they rest forever as unconscious complexes and from where they filter into dreams. Devoid of logic and sense, fancifully contorting odd elements of reality, this "world of dreams" was placed by the Surrealists at the centre of their art. The French writer and poet André Breton articulated the main principles of Surrealism.

Apart from Breton, other founders of Surrealism included the Dadaists Paul Éluard and Louis Aragon. But soon after its emergence, this initially purely literary trend began to filter into other arts, such as painting and cinema. There is a well-known story about Breton riding on a bus in Paris and noticing a picture in a gallery's window: the painting was "The Child's Brain", a piece by the

famous metaphysical artist Giorgio de Chirico. The weird imagery impressed Breton so much that he got off the bus at the next stop to return to the gallery and to examine the picture more closely. De Chirico was the first artist to visualize imagery characteristic of the philosophy and aesthetics of Surrealism, and he also proved a major influence on Salvador Dalí, who regarded him as one of the greatest artists in history. Breton later bought the "The Child's Brain" and treasured it as one of his best acquisitions.

In 1924 Breton published his "Surrealist Manifesto", and this publication officially marked a turning point in world culture – the arrival of the astonishing, absolutely original school that was to greatly influence the development of art in the 20th century.

The first exhibition of Surrealist artists took place in 1925 in Paris, its participants including painters as diverse as de Chirico, Paul Klee, Max Ernst, Joan Miry, and Pablo Picasso. Breton believed that the new art expressed the secret desires and needs of all people; to grasp this art, viewers only had to have a receptive mind and the spontaneity of a child.

But Surrealism reached its true highpoint in the late 1920s when the association was joined by Salvador Dalí, who came to be generally recognized as its leader. In 1929 he officially joined Breton's group; in the same year he teamed up with Luis Bucuel to shoot the famous Surrealist film "Un Chien Andalou" (An Andalusian Dog). In 1929–1934 the German Surrealist Max Ernst gained immense popularity creating a series of "Victorian Collages". 1934 saw the publication of "Une semaine de bonté" (A Week of Kindness), the novel which Ernst both wrote and illustrated with collages and which became one of the landmark cultural events of the period. The engravings, whose narratives were elaborated by Ernst in cooperation with Paul Éluard, won over many new admirers for the Surrealists.

But it was after Dalí joined the group that Surrealism turned into something more that simply a fashionable style, as the movement became central to the European, and later, to the American art scene. Surrealism fascinated the Chilean architect Roberto Matta, who came to Paris to work under the acclaimed architect Le Corbusier. Matta worked for Le Corbusier for nearly two years, and during that period he became acquainted with Pablo Neruda and Federico Garcia Lorca; they introduced him to Salvador Dali and André Breton. Breton, who was greatly impressed with Matta's pictures, invited him to join the rapidly expanding group of Surrealist artists.

However, by that time the first cracks were appearing in Breton's fellowship. In 1936, after Franco came to power, Dalí fell out with the Surrealists, who were left-leaning, and was expelled from the group. Dalí reacted with a loud but fairly justifiable

statement, "Surrealism c'est moi!" (I am Surrealism!). In the same year he created such masterpieces as "Premonition de guerre civil" (Premonition of Civil War), "Cannibalism in Autumn" and "Venus de Milo with Drawers".

The onset of World War II was a great ordeal for the whole world, and inevitably the fraternity of the Surrealists was affected. Max Ernst was arrested as a subject of an enemy state, but the famous patroness of arts Peggy Guggenheim helped him to relocate to the US in 1941, and he soon married his saviour. But the marriage was not to last long: in 1946 Ernst divorced Guggenheim and married the artist Dorothea Tanning, who was one of the most famous American painters associated with Surrealism. Tanning became the last member of that celebrated constellation of Surrealists who traced their history directly to Breton's group.

Dalí too moved to America, where he met with enormous success. He lived in the New World until the early 1950s, but after his return to Spain he continued to visit the US frequently.

Nevertheless, Surrealism always remained a primarily European movement reflecting the ideas, anxieties and emotions of people living in the Old World; one of the most notable exponents of European Surrealism was the Belgian artist René Magritte. Magritte, who started out as an advertising designer, developed an individual style that agreed well with the visual component of Surrealism but was founded on psychology rather than philosophy. His poetic Surrealism does not deprive material objects of their "materiality": they are not smudged, nor do they turn into their own shadows.

Magritte used simple and clear images and combined them in a most fanciful fashion, surprising viewers and making them think about the deceptiveness of things seen, and the hidden mysteries behind appearances which we usually fail to notice. Magritte's series of pictures where visuals are contextually subverted is well known, with Magritte's work featuring a smoking pipe, with a signature "Ceci n'est pas une pipe" ("This is not a pipe"), especially popular. Magritte uses this ploy to remind viewers

once again that the image of an object is not the object itself.

Until his death in 1967 Magritte created over 20 graphic works that are officially critically recognized as the artist's work, most of which are presented in Russia for the first time at the current show, as a part of the InArtis project.

Since the late 1960s the Swiss artist H.R. Giger has been the main exponent of Surrealist aesthetics. His style, combining representations of human bodies and machines, is often characterized as "biomechanical". The gloomy ornamentality of Giger's imagery made him one of the most sought-after artists in the area of mass culture. His credits include numerous sleeves for albums of such bands as Emerson, Lake & Palmer; Celtic Frost; Danzig, and of the singer Debbie Harry, the ex-vocalist of Blondie. Some of Giger's record sleeves were ranked by "Rolling Stone" magazine among the 20th century's top hundred.

However, he became truly famous only in 1977, with the publication of the third work in his

"Necronomicon" series. This collection of Giger's silk prints attracted the attention of the American film director Ridley Scott, who engaged Giger as the designer for his film "Alien", and the artist designed the memorable image of the xenomorphic monster. This film won Giger an Oscar for Best Visual Effects in 1980. The drawings of the "monster" he made in the course of the work were also utilized in the design of the three sequels that followed, as well as the two-film series "Alien vs. Predator", although these movies used a version of the alien with acidic blood that was significantly modified, both visually and in substance.

Surrealism became one of the 20th century's most powerful cultural movements and greatly influenced the development of modern art. It absorbed the strange and in many aspects disturbing energies of the century, a singular age that was marked by two world wars, the Great Depression, astounding scientific discoveries and many other events that turned around people's ideas about both themselves and the surrounding world. At this exhibition we aim to trace the evolution of Surrealism through the graphic pieces of the greatest Surrealist artists, from a pre-Surrealist painter such as de Chirico to Magritte, Dorothea Tanning and H.R. Giger. This retrospective will afford us the chance to trace the germination of the seeds of the new art which were sown in the fertile soil of the flashy Dadaist absurd, and grew into a unique movement that became one of the landmarks of the last century.

Джорджо де Кирико
Манекен
1964

Giorgio de Chirico
Manichino
1964

Макс Эрнст
Застрели Луну
1972

Max Ernst
Shoot the Moon
1972

Макс Эрнст
БЕЛЬФОРСКИЙ ЛЕВ
Литография 1
1934

Max Ernst
LE LION DE BELFORT
Lithography № I
1934

Макс Эрнст
БЕЛЬФОРСКИЙ ЛЕВ
Литография 2
1934

Max Ernst
LE LION DE BELFORT
Lithography № II
1934

Макс Эрнст
БЕЛЬФОРСКИЙ ЛЕВ
Литография 3
1934

Max Ernst
LE LION DE BELFORT
Lithography № III
1934

Макс Эрнст
БЕЛЬФОРСКИЙ ЛЕВ
Литография 4
1934

———————

Max Ernst
LE LION DE BELFORT
Lithography № IV
1934

Макс Эрнст
БЕЛЬФОРСКИЙ ЛЕВ
Литография 5
1934

———————

Max Ernst
LE LION DE BELFORT
Lithography № V
1934

Макс Эрнст
БЕЛЬФОРСКИЙ ЛЕВ
Литография 6
1934

———————

Max Ernst
LE LION DE BELFORT
Lithography № VI
1934

Макс Эрнст
БЕЛЬФОРСКИЙ ЛЕВ
Литография 7
1934

Max Ernst
LE LION DE BELFORT
Lithography № VII
1934

Макс Эрнст
БЕЛЬФОРСКИЙ ЛЕВ
Литография 8
1934

Max Ernst
LE LION DE BELFORT
Lithography № VIII
1934

Макс Эрнст
БЕЛЬФОРСКИЙ ЛЕВ
Литография 9
1934

Max Ernst
LE LION DE BELFORT
Lithography № IX
1934

Макс Эрнст
БЕЛЬФОРСКИЙ ЛЕВ
Литография 10
1934

———————————

Max Ernst
LE LION DE BELFORT
Lithography № X
1934

Макс Эрнст
БЕЛЬФОРСКИЙ ЛЕВ
Литография 11
1934

Max Ernst
LE LION DE BELFORT
Lithography № XI
1934

Макс Эрнст
БЕЛЬФОРСКИЙ ЛЕВ
Литография 12
1934

Max Ernst
LE LION DE BELFORT
Lithography № XII
1934

Макс Эрнст
БЕЛЬФОРСКИЙ ЛЕВ
Литография 13
1934

———————

Max Ernst
LE LION DE BELFORT
Lithography № XIII
1934

Макс Эрнст
БЕЛЬФОРСКИЙ ЛЕВ
Литография 14
1934

Max Ernst
LE LION DE BELFORT
Lithography № XIV
1934

Макс Эрнст
БЕЛЬФОРСКИЙ ЛЕВ
Литография 15
1934

Max Ernst
LE LION DE BELFORT
Lithography № XV
1934

Макс Эрнст
БЕЛЬФОРСКИЙ ЛЕВ
Литография 16
1934

———————————

Max Ernst
LE LION DE BELFORT
Lithography № XVI
1934

Макс Эрнст
БЕЛЬФОРСКИЙ ЛЕВ
Литография 17
1934

Max Ernst
LE LION DE BELFORT
Lithography № XVII
1934

Макс Эрнст
БЕЛЬФОРСКИЙ ЛЕВ
Литография 18
1934

Max Ernst
LE LION DE BELFORT
Lithography № XVIII
1934

Макс Эрнст
БЕЛЬФОРСКИЙ ЛЕВ
Литография 19
1934

Max Ernst
LE LION DE BELFORT
Lithography № XIX
1934

Макс Эрнст
БЕЛЬФОРСКИЙ ЛЕВ
Литография 20
1934

_____

Max Ernst
LE LION DE BELFORT
Lithography № XX
1934

Макс Эрнст
БЕЛЬФОРСКИЙ ЛЕВ
Литография 21
1934

_____

Max Ernst
LE LION DE BELFORT
Lithography № XXI
1934

Макс Эрнст
БЕЛЬФОРСКИЙ ЛЕВ
Литография 22
1934

_____

Max Ernst
LE LION DE BELFORT
Lithography № XXII
1934

Макс Эрнст
БЕЛЬФОРСКИЙ ЛЕВ
Литография 23
1934

Max Ernst
LE LION DE BELFORT
Lithography № XXIII
1934

Макс Эрнст
БЕЛЬФОРСКИЙ ЛЕВ
Литография 24
1934

Max Ernst
LE LION DE BELFORT
Lithography № XXIV
1934

Макс Эрнст
БЕЛЬФОРСКИЙ ЛЕВ
Литография 25
1934

Max Ernst
LE LION DE BELFORT
Lithography № XXV
1934

Макс Эрнст
БЕЛЬФОРСКИЙ ЛЕВ
Литография 26
1934

Max Ernst
LE LION DE BELFORT
Lithography № XXVI
1934

Макс Эрнст
БЕЛЬФОРСКИЙ ЛЕВ
Литография 27
1934

Max Ernst
LE LION DE BELFORT
Lithography № XXVII
1934

Сальвадор Дали
Сюрреалистическая
гастрономия
1971

Salvador Dali
Surrealist Gastronomy
1971

Сальвадор Дали
Ультрасюрреалистическая
корпускулярная Галушка
1971

Salvador Dali
Ultra Surrealist
Corpuscular Galutska
1971

Сальвадор Дали
Слон в космосе
1971

Salvador Dali
Space Elephant
1971

Сальвадор Дали
Ангел дадаистского
сюрреализма
1971

Salvador Dali
Angel of Dada Surrealism
1971

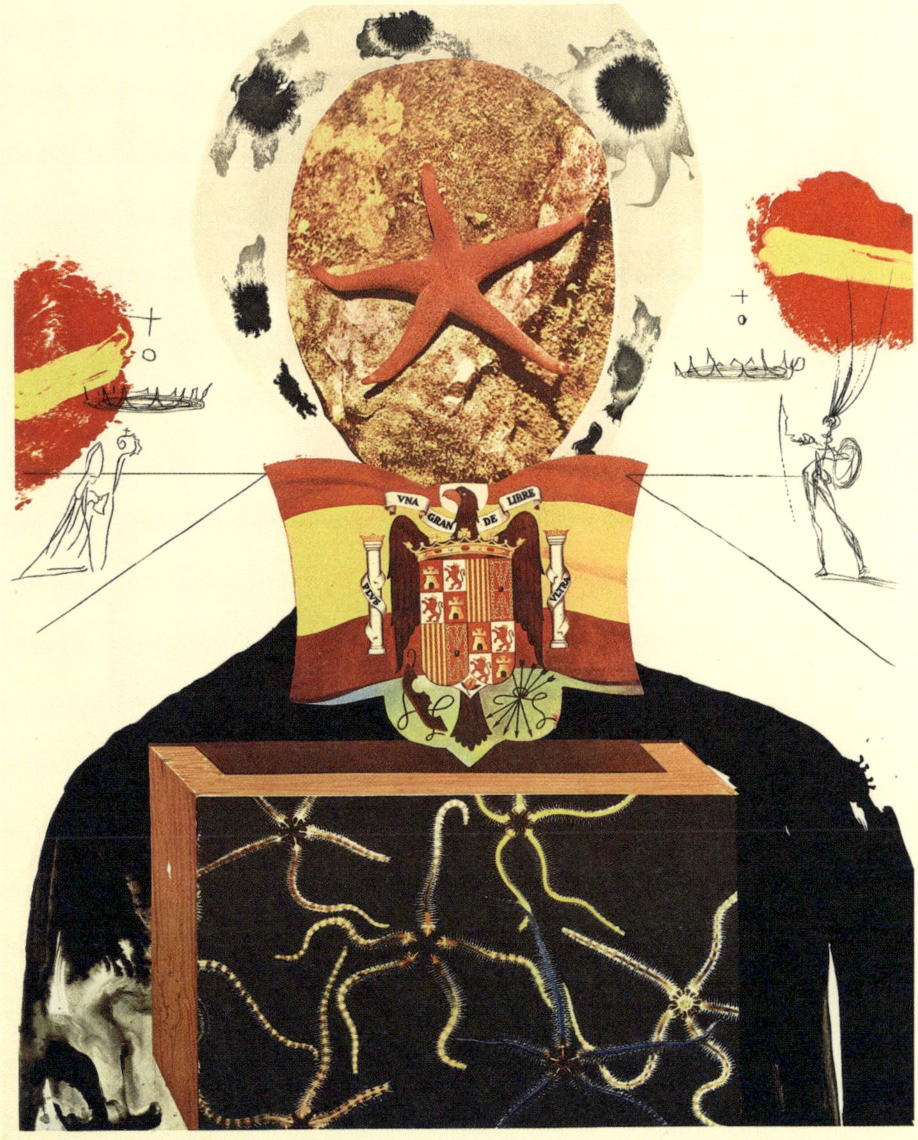

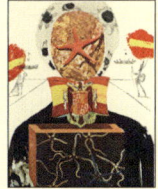

Сальвадор Дали
Сюрреалистический
король
1971

Salvador Dali
Surrealist King
1971

Сальвадор Дали
Одетые в наготу в сюрреа-
листической манере
1971

———————

Salvador Dali
Dressed in The Nude
in the Surrealist Fashion
1971

Сальвадор Дали
Сюрреалистический
костыль
1971

Salvador Dali
Surrealist Crutches
1971

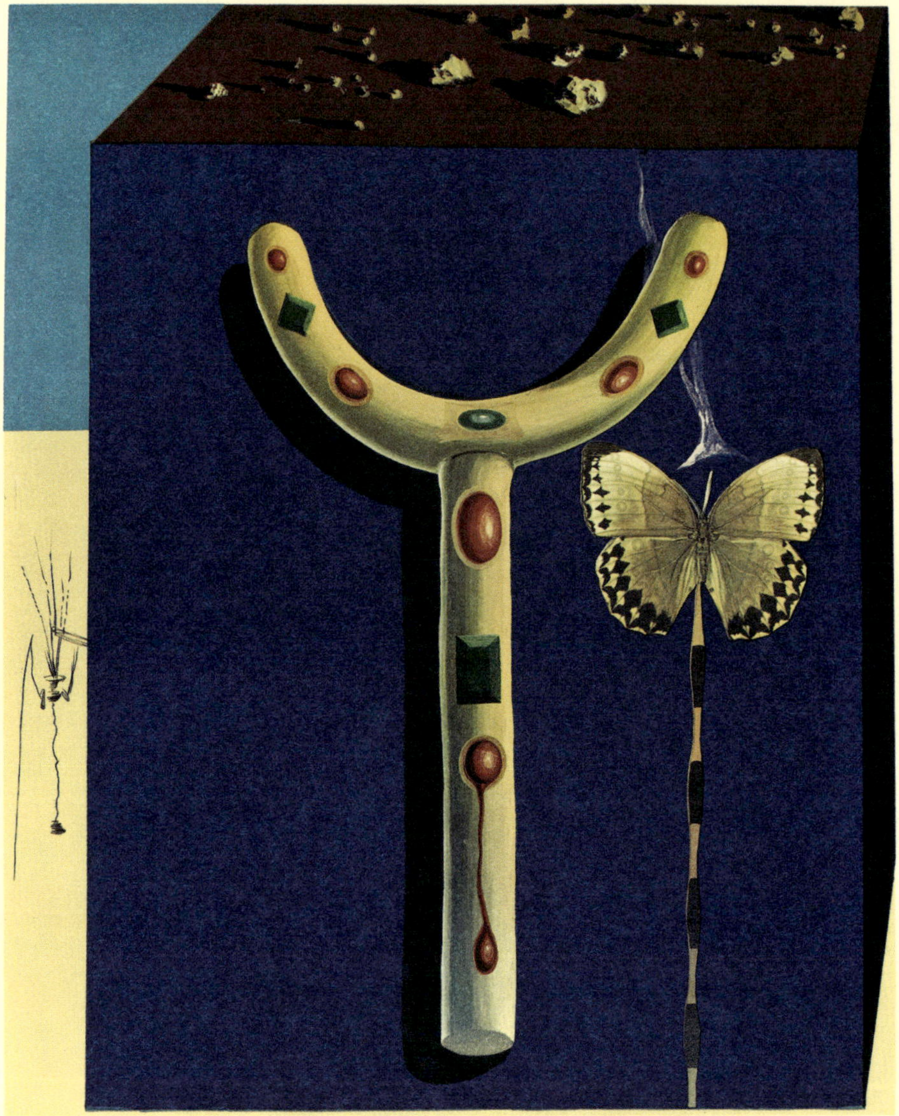

Сальвадор Дали
Сюрреалистическая
девочка-цветок
1971

Salvador Dali
Surrealist Flower Girl
1971

Сальвадор Дали
Внимание к сюрреалисти-
ческому созерцанию
1971

———————————

Salvador Dali
Caring for a surrealist
watch
1971

Сальвадор Дали
Безумная, безумная,
безумная Минерва
1971

———————————

Salvador Dali
Crazy Crazy Crazy Minerva
1971

Сальвадор Дали
Роза
1971

———————————

Salvador Dali
Rose
1971

Сальвадор Дали
Пестрые перья
1971

Salvador Dali
Variegated Plumes
1971

Сальвадор Дали
Мягкие дозоры в полусне
1971

Salvador Dali
Soft Watches Half Asleep
1971

Сальвадор Дали
Осеннее людоедство
1971

———————

Salvador Dali
Autumn Cannibalisms
1971

Сальвадор Дали
Скромные мученические
наслаждения
1971

———————

Salvador Dali
Little Martyr Delights
1971

Сальвадор Дали
Атавизм
1971

———————

Salvador Dali
Atavism
1971

Сальвадор Дали
Доступ к содомии
1971

Salvador Dali
Access to Sodomy
1971

Сальвадор Дали
Вершины лилипутских
тревог
1971

———————————

Salvador Dali
Supremes of Lilliputian
Malaises
1971

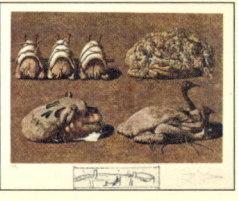

Сальвадор Дали
Княжеские плоскогубцевые
капризы
1971

———————————

Salvador Dali
Princely Plier Caprices
1971

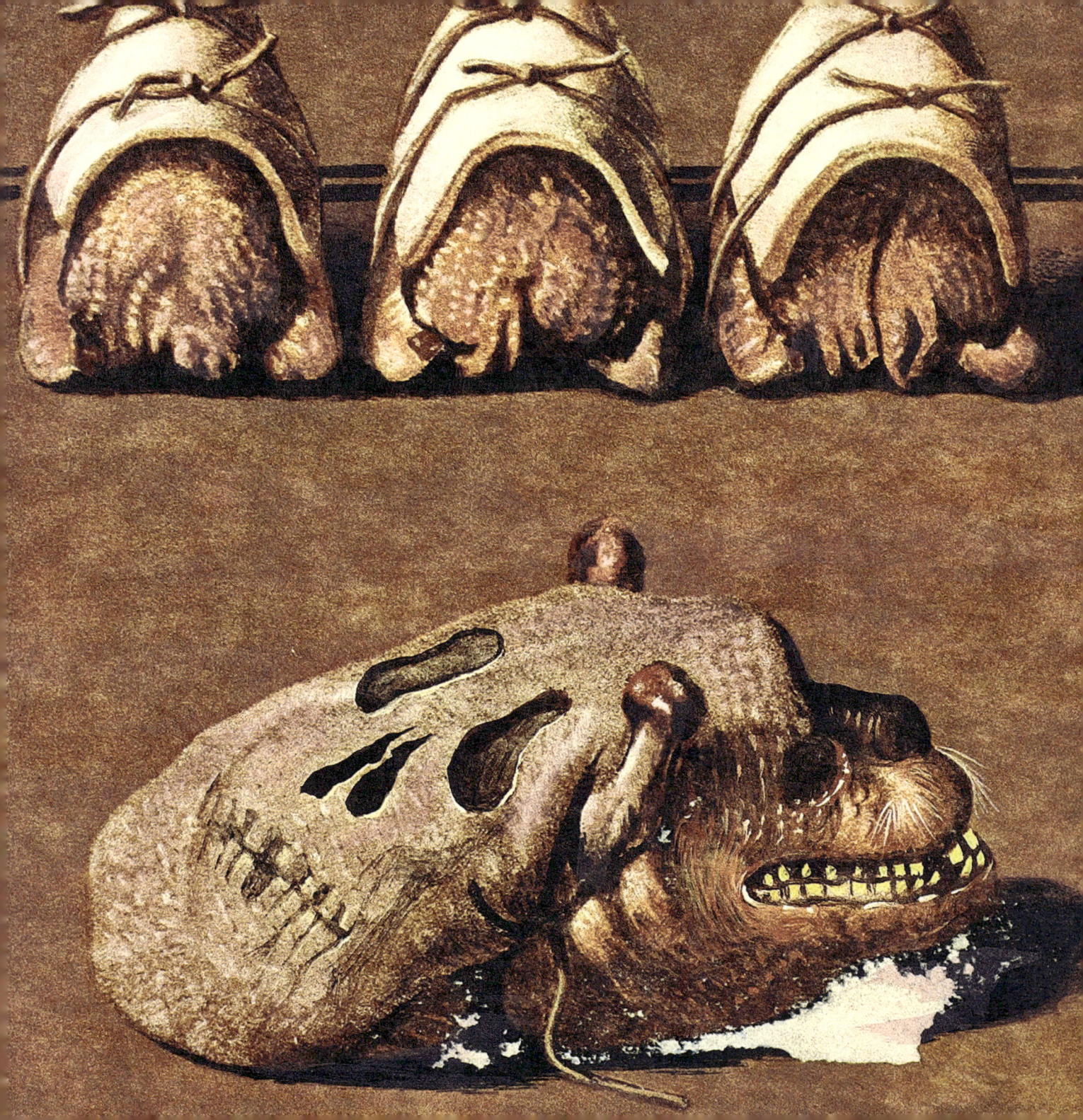

Сальвадор Дали
Спутники, отполированные
статистическими личинками
1971

Salvador Dali
Satellites Polished
by Statistical Maggots
1971

Сальвадор Дали
Я ем Гал
1971

Salvador Dali
The 'I Eat Gala's
1971

Сальвадор Дали
Монаршьи телесные тона
1971

———————————

Salvador Dali
Monarchial Flesh Tones
1971

Сальвадор Дали
Ночные аппетиты
1971

———————————

Salvador Dali
Nocturnal Cravings
1971

Рене Магритт
Труд Александра
1962

Rene Magritte
Les Travaux d'Alexandre
1962

Рене Магритт
Это не трубка
1962

Rene Magritte
Ceci n'est pas une pipe
1962

Рене Магритт
Среди легких рощ
1966

Rene Magritte
Parmi les Bosquets Legers
1966

Рене Магритт
Без названия
1968

————————

Rene Magritte
Untitled
1968

Рене Магритт
16-е сентября
1968

———————

Rene Magritte
Le 16 Septembre
1968

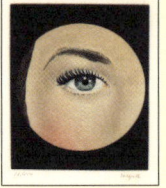

Рене Магритт
Глаз
1968

———————

Rene Magritte
L'Oeil
1968

Рене Магритт
Майский Салон 1965 г.
1965

———————

Rene Magritte
Salon de Mai 1965
1965

Рене Магритт
Урок музыки
1968

Rene Magritte
La Lecon de Musique
1968

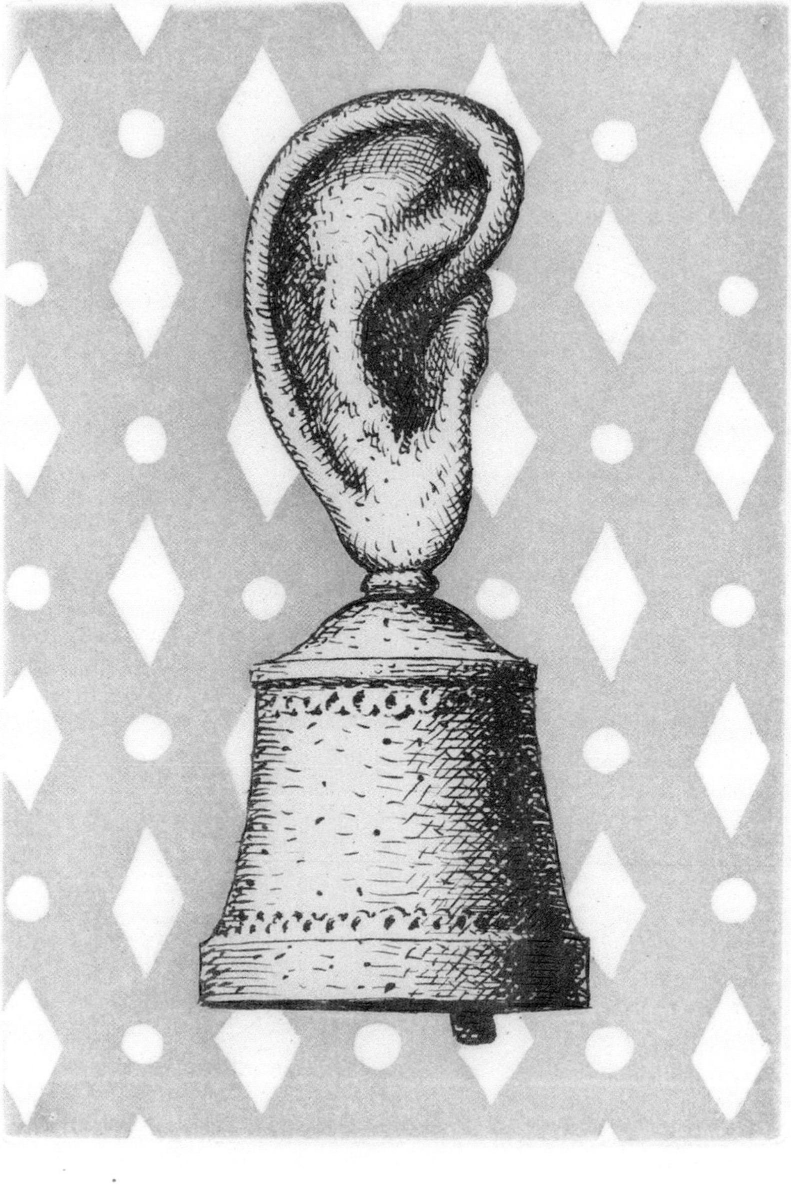

Рене Магритт
Каприз Олмейера
1968

Rene Magritte
La Folie Almayer
1968

Рене Магритт
Женатый священник
1968

Rene Magritte
Le Prétre Marie
1968

Рене Магритт
Искусство жить
1968

Rene Magritte
L`Art de Vivre
1968

Роберто Матта
Аргонавты
1977

Roberto Matta
Argonauts
1977

Роберто Матта
Титаник
1976

Roberto Matta
Titanic
1976

Издание осуществлено к выставке

КОЛЛЕКТИВНОЕ БЕССОЗНАТЕЛЬНОЕ:
ГРАФИКА СЮРРЕАЛИЗМА ОТ ДЕ КИРИКО ДО МАГРИТТА

в Государственном историческом музее
1 марта – 25 апреля 2011

Организатор выставки

Идея – Проект InArtis
Лев Платонов
Ольга Дмитриева
Мария Федорова
Кирилл Зотов

Проект InArtis благодарит:
Алексея Константиновича Левыкина
Тамару Григорьевну Игумнову
Алексея Платонова
Олега Николаева
Марианну Гушелик
Юлия Куна

Макет, верстка:
Анастасия Орлова

Обложка:
Рене Магритт. Майский салон, 1965

Подписано в печать 16.02.2011.
Формат 60x90 $^1/_8$. Бумага офсетная, 160 гр/м^2.
Печать офсетная. Тираж 2 000 экз.
ISBN 978-5-905130-02-1

Отпечатано в типографии «Август Борг»

тел. +7 499 755 5230
email: info@inartis.ru
www.inartis.ru

Генеральный партнер

Партнеры

Информационные
партнеры

При информационной
поддержке